Sistema de clasificación Melvil Dewey DGMyME

808.068
B262
2003   Browne, Anthony
        El túnel / Anthony Browne — México : SEP : FCE, 2003.
    32 p. : il. — (Libros del Rincón)

    ISBN: 970-741-540-1 SEP

    1. Literatura infantil 2. Cuento I. II. t. III. Ser.

Título original: *The Tunnel*

© Anthony Browne, 1989
© Fondo de Cultura Económica, 1992

Primera edición SEP / Fondo de Cultura Económica, 2003

D.R. © Fondo de Cultura Económica, 2003
      Av. Picacho Ajusco 227,
      14200, México, D.F.

D.R. © Secretaría de Educación Pública, 2003
      Argentina 28, Centro,
      06020, México, D.F.

ISBN: 968-16-7123-6 FCE
ISBN: 970-741-540-1 SEP

Impreso en Colombia

El Túnel
se imprimió por encargo de la Comisión
Nacional de Libros de Texto Gratuitos en los
talleres de Panamericana Formas e Impresos
S.A., Calle 65 No. 95-28, Bogotá, Colombia,
en el mes de noviembre de 2003. El tiraje fue
de 70 615 ejemplares más sobrantes para
reposición.

EL TÚNEL

ANTHONY BROWNE

FONDO
DE CULTURA
ECONÓMICA

Libros del Rincón

SECRETARÍA DE
EDUCACIÓN
PÚBLICA | SEP

Había una vez un hermano y una hermana que no se parecían en nada. Eran diferentes en todo.

La hermana se quedaba en casa, leía y soñaba. El hermano jugaba afuera con sus amigos: reía y gritaba, pateaba y lanzaba la pelota, brincaba y retozaba.

Por las noches él dormía profundamente en su cuarto. Ella permanecía despierta, acostada, escuchando los ruidos de la noche. A veces él entraba a gatas al cuarto de ella para asustarla, pues sabía que a su hermana le daba miedo la oscuridad.

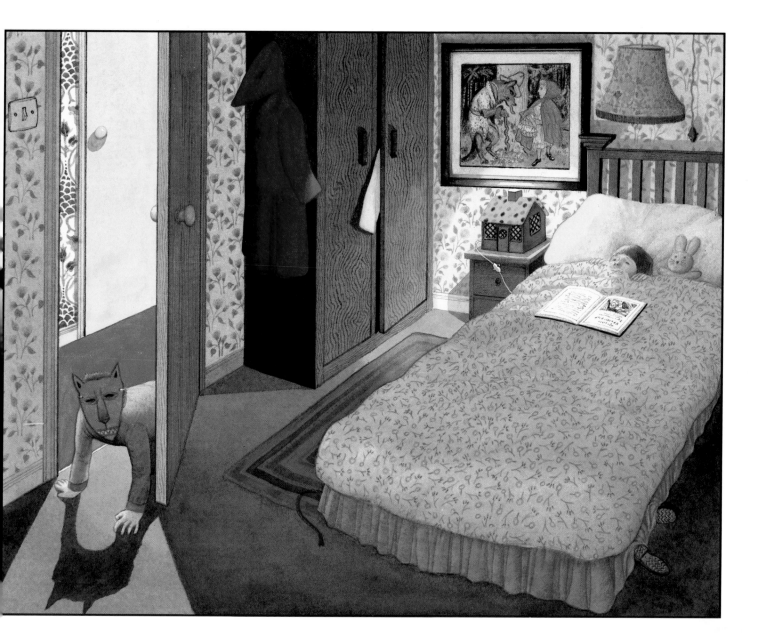

Cuando estaban juntos peleaban todo el tiempo, y discutían y alegaban casi a gritos.

Una mañana su mamá perdió la paciencia con ellos.

—Váyanse juntos —les dijo—, y traten de llevarse bien y de ser amables uno con otro por lo menos una vez, y regresen a tiempo para la comida.

Pero el niño no quería que su hermana lo acompañara.

Se fueron a un terreno baldío.

—¿Por qué tienes que venir? —se quejó él.

—No es mi culpa —dijo ella— Yo no quería venir a este horrible lugar. Me da miedo

—¡Ay, eres una bebita! —dijo el hermano—. Todo te da miedo.

Él se fue a explorar.

—¡**O**ye!, ven acá —le gritó a su hermana poco después. Ella caminó hacia él.

—Mira —dijo él—, un túnel. Ven, vamos, vamos a ver qué hay del otro lado.

—N-n-no, no debes hacerlo —dijo ella— ahí puede haber brujas o duendes o cualquier otra cosa.

—No seas tonta —dijo su hermano— esas son cosas de niños.

—Tenemos que estar de regreso en casa a la hora de comer… —dijo ella.

A la niña le daba miedo el túnel, y decidió esperar hasta que su hermano saliera de nuevo. Esperó y esperó, pero él no salía y ella sentía ganas de llorar; casi se le salían las lágrimas. ¿Qué podía hacer? Tuvo que seguirlo por el túnel.

El túnel estaba oscuro

y húmedo y resbaladizo.

Del otro lado ella se encontró en medio de un bosque tranquilo. No había ni rastro de su hermano. Pero el bosque pronto se convirtió en una selva oscura.

Empezó a pensar en lobos y gigantes y en brujas, y quería regresarse, pero no podía. ¿Qué sería de su hermano si ella se regresara? Ya estaba muy asustada y empezó a correr, más y más aprisa cada vez.

Cuando se dio cuenta de que ya no podía correr más, llegó a un claro en el bosque.
Había una figura, inmóvil, como de piedra.
—¡Oh, no! —gimió—, llegué demasiado tarde.

Abrazó la figura dura y fría y lloró. Poco a poco, la figura empezó a cambiar de color y se hizo más suave y más tibia.

Entonces lentamente empezó a moverse. Era su hermano.

—¡Rosa!, yo sabía que vendrías —le dijo.

Corrieron de regreso, atravesaron la selva y cruzaron el bosque, entraron al túnel y salieron de él. Juntos, los dos.

Cuando llegaron a su casa su mamá estaba poniendo la mesa

—Hola —les dijo— los noto muy callados. ¿Está todo bien?

Rosa le sonrió a su hermano y Juan le sonrió a ella también.